墨点字帖

U0146428

灵飞经

书法字谱集

陈行健 主编

中原出版传媒集团
大地传媒
河南美术出版社
·郑州·

图书在版编目（CIP）数据

灵飞经 / 陈行健主编. —郑州：河南美术出版社，2015.8（2019.7 重印）
（书法字谱集）
ISBN 978-7-5401-3219-4

Ⅰ. ①灵… Ⅱ. ①陈… Ⅲ. ①楷书—书法 Ⅳ. ① J292.113.3

中国版本图书馆 CIP 数据核字（2015）第 132801 号

责任编辑：张浩　杜笑谈
责任校对：吴高民
策　　划：墨点字帖
封面设计：墨点字帖

书法字谱集
灵飞经　　©陈行健　主编
出版发行：河南美术出版社
地　　址：郑州市经五路 66 号
邮　　编：450002
电　　话：0371-65727637
印　　刷：武汉市新华印刷有限责任公司
开　　本：889mm×1194mm　1/16
印　　张：3
版　　次：2015 年 8 月第 1 版　2019 年 7 月第 5 次印刷
定　　价：20.00 元

前言

钟绍京（659—746），字可大，唐代兴国清德乡（今江西省兴国县）人，系三国时魏国太傅钟繇的第17世孙。以书画收藏、鉴赏闻名于世，其书法初学薛稷，得薛氏精华而自成一家。小楷《灵飞经》是其传世名作。

《灵飞经》是道教的经文，其内容主要是阐述存思、符箓之法。小楷《灵飞经》字帖，发现于明代晚期，字迹风格与《王居士砖塔铭》非常相近，但毫锋墨彩远非石刻所能媲美。当时流入董其昌手中，海宁陈氏从董家借书，并摹刻入《渤海藏真》丛帖。后来归还董家时，陈家从全卷中扣留了43行，即是现存墨迹本仅有的43行。

《灵飞经》在风格上属于写经体，当时举凡典籍、文件等资料均需要专职人员抄录，书法工整尚法，逐渐形成一种特有的审美定式和规范，由于抄写的内容以经文为代表，故被称为“写经体”。因唐太宗李世民对王羲之书法的推崇，写经体也因而受到很大的影响，点画结字方面远比以往更为精到和严谨，《灵飞经》便是其中典型的代表作之一。《灵飞经》既有魏晋时期经书的遗风，如竖、撇比较粗，结字以扁平居多，章法上字距较紧，行距较宽，但从其精致灵动的点画特征来看，其风格又融入了王羲之、褚遂良的书法元素。历代书法家对其评价很高，当代书法家启功先生也认为此帖是学习小楷的最佳范本之一。

小楷笔法简述

小楷，古人也称为“蝇头书”，顾名思义，是一种体势较小的楷书，它也是迄今能见到的最早的楷书。自魏晋以来，各个不同历史时期产生了诸多小楷名家，他们各具风采、风格迥异，为我们提供了宝贵的临习资料。

小楷因为体势较小，在执笔和运笔的要求上与大楷有不同之处。首先是执笔不能太高，一般以离笔头3-5厘米为好，太高则笔下线条会虚飘而显得不沉着；指实掌虚是执笔的基本要求，写小楷还要指死腕活，因为写小楷不能悬臂，只能悬腕，其笔力全靠运腕，腕活则笔下全活。

小楷的笔法由三个部分组成，即起笔、行笔、收笔。只不过其体势小，故起笔、行笔、收笔过程都稍短。

起笔有两种，一为藏锋，一为露锋。藏锋是指笔与纸的第一个触点隐藏在点画中，藏锋起笔的要领是逆入，逆入是指笔的第一个运动方向与笔画运行的方向是相反的，也就是我们常说的“欲下先上，欲右先左”。由于小楷体势小，逆入的动作极短、极轻，有时甚至是意想不到的，此种起笔在小楷中运用不是太多。露锋是指笔与纸的第一个触点是在书写笔画的边沿，较之藏锋，它省略了逆入的要求，露锋的要点是“竖画横落笔，横画竖落笔”，这种起笔法在小楷中运用较多。小楷运笔大多数采用中锋,个别笔画用侧锋(如撇画）。中锋运笔，简而言之，即在行笔的过程中，笔毫铺开后，笔锋沿笔画中线移动的一种行笔方法；侧锋是在行笔的过程中，笔毫铺开后，笔锋斜侧到笔画边缘移动的一种行笔方法。注意侧锋是用笔尖斜侧而不是笔肚斜侧，笔肚斜侧谓之偏锋。

收笔也有两种，一是出锋，一是回锋。出锋是指收笔时沿着笔的运动方向，逐渐提锋轻出；回锋是指收笔时向笔运动的相反方向，提锋轻回。

起笔是“藏”是“露”，收笔是“出”是“回”，是根据不同的笔画来决定。

唐代是楷书发展的高峰期，在点画的处理上已完全脱离了隶书的特征，形成了一套完整的笔法体系。钟绍京是唐代书家，其小楷充分体现了“唐人尚法”的特点，临习时应该注意。下面将对范本中的具体笔画进行具体分析。

	1. 长横 露锋起笔，由左向右中锋行笔，收笔时略向右下轻按，随即向左回锋收笔。
	2. 短横 露锋起笔，由左向右中锋行笔，收笔时向右下轻按后立即向左回锋收笔。
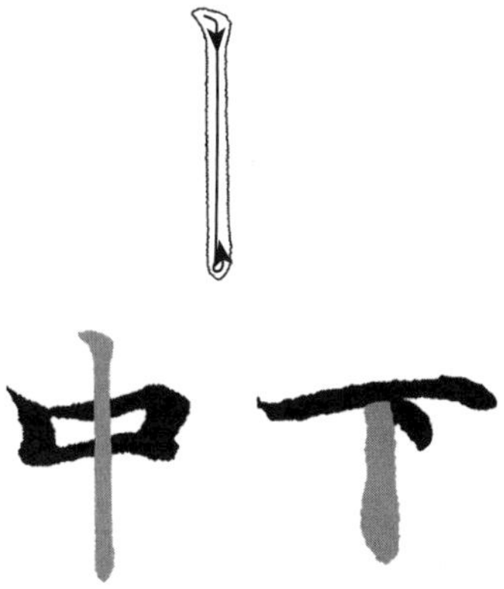	3. 垂露竖 露锋起笔先由左向右横落笔，迅疾转向，由上向下中锋行笔，收笔时向右（或左）轻提笔锋，回锋收笔。
	4. 悬针竖 露锋起笔，先由左向右横落笔，迅疾转向，由上向下中锋行笔，收笔时逐渐轻提笔锋，以出锋收笔。

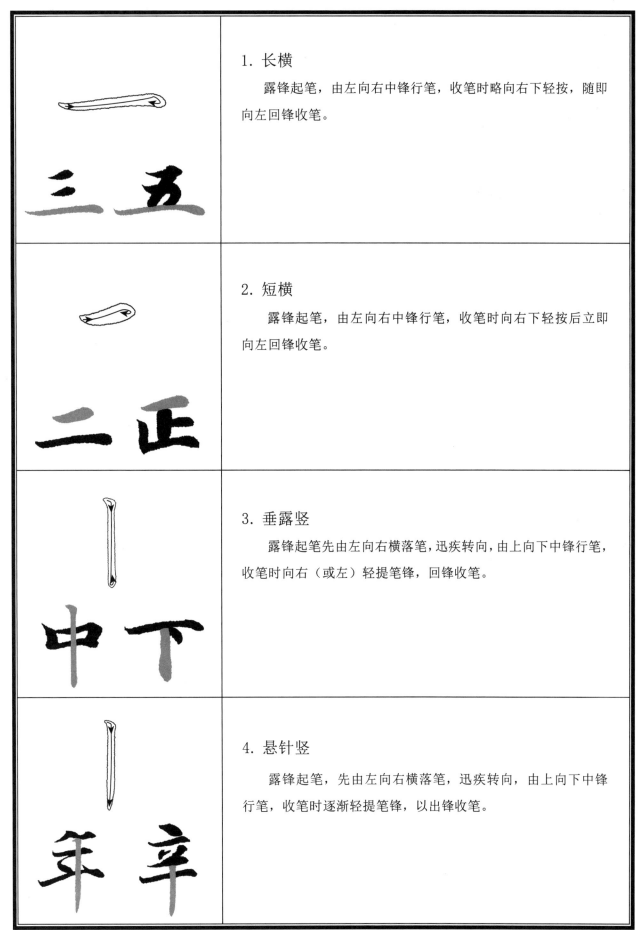

5. 斜撇

藏锋取逆势起笔，转向后由右上向左下以侧锋运笔，收笔时逐渐轻提笔锋，以出锋收笔。

6. 竖撇

藏锋取逆势起笔，转向后先由上向下以中锋行笔，然后再向左下取弧势以侧锋行笔，收笔时逐渐轻提笔锋，以出锋收笔。

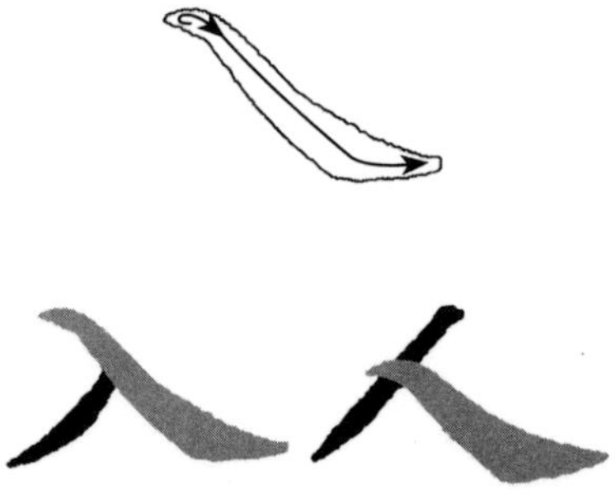

7. 斜捺

藏锋取逆势起笔，由左上向右下取斜势以中锋运笔，收笔时先转向，然后由左向右以出锋收笔。

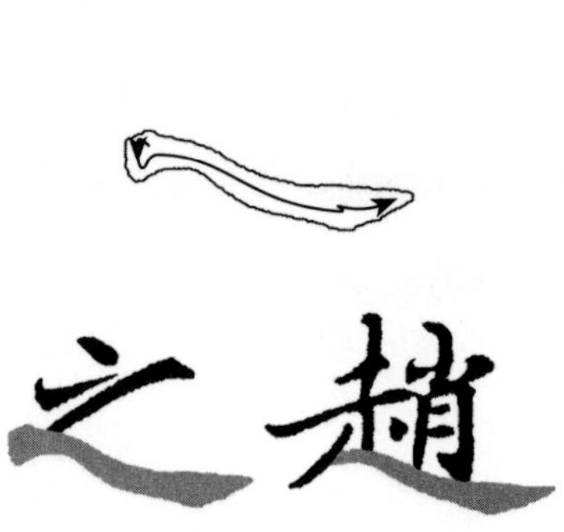

8. 平捺

藏锋取逆势起笔，先向左下作短暂按笔，再转向从左向右作弧线运笔，收笔时稍向右上挑起，以出锋收笔。

	9. 斜点 露锋起笔，从左上向右下以中锋运笔，笔力逐渐加重，收笔时向左上以回锋收笔。
	10. 长点 露锋起笔，从左上向右下以中锋运笔，笔力逐渐加重，收笔时向左上以回锋收笔。
	11. 撇点 露锋起笔，先稍作平移，随即由右上向左下以侧锋行笔，收笔时逐渐提锋，以出锋收笔。
	12. 挑点 露锋起笔，由右上向左下取弧线行笔，然后转向，由左下向右上以出锋收笔。

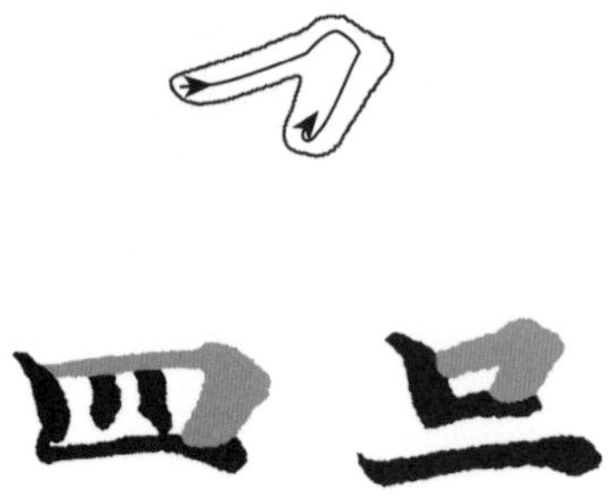	13. 横折 露锋起笔，先由左向右以中锋行笔，转折时向右上轻提，随即向右下重按，再由右上向左下以中锋行笔，收笔时稍向上作回锋收笔。
	14. 竖折 露锋起笔，先由上向下作竖画以中锋运笔，转折时稍提笔锋转向，再由左向右作横画以中锋行笔，收笔时稍按再向左下以回锋收笔。
	15. 撇折 露锋起笔，先从右上向左下取斜势以侧锋运笔，转折时稍向左下轻按，随即转向，从左向右以中锋行笔，收笔时轻提笔锋，以出锋收笔。
	16. 撇点 露锋起笔，先由右上向左下作撇画行笔，转折时轻提笔锋，转向后由左上向右下取斜势行笔，收笔时轻提笔锋向左上以回锋收笔。

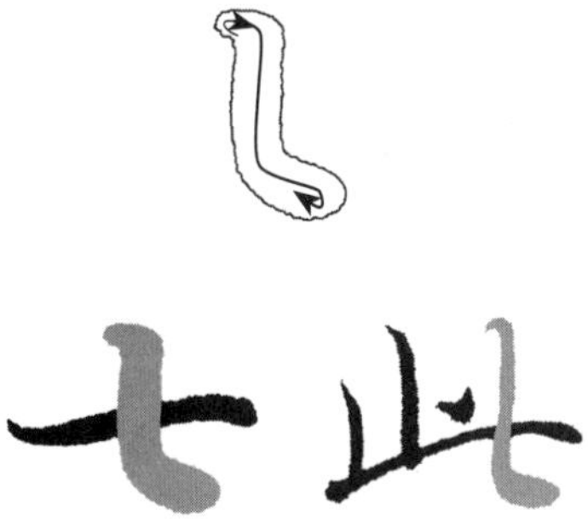

17. 竖弯

藏锋取逆势起笔，由上向下以中锋行笔，转折时稍提笔锋，随即转向，由左上向右下取斜势以中锋行笔，收笔时轻提笔锋向左下以回锋收笔。

18. 竖提

露锋起笔，先由上向下以中锋行笔，转折时先稍向左下轻按，随即转向，从左下向右上取斜势行笔，收笔时稍提笔锋，以出锋收笔。

19. 横折钩

露锋起笔，由左向右作横画以中锋行笔，转折时先向右下轻按，随即转向，由上向下作竖画行笔，出钩时先向左稍拐，然后向上轻提笔锋，随即迅速转向，由右向左以出锋收笔。

20. 竖钩

藏锋取逆势起笔，转向后由上向下以中锋作竖画行笔，出钩时先向上稍提笔锋，随即迅速转向，由右向左以出锋收笔。

21. 弯钩

露锋起笔，由上向下取弧势以中锋运笔，出钩时先向上轻提笔锋，随即迅速转向，由右向左以出锋收笔。

22. 斜钩

露锋起笔，由左上向右下取弧势以中锋运笔，收笔时稍按后即向左上作短暂提锋，随即向上以出锋收笔。

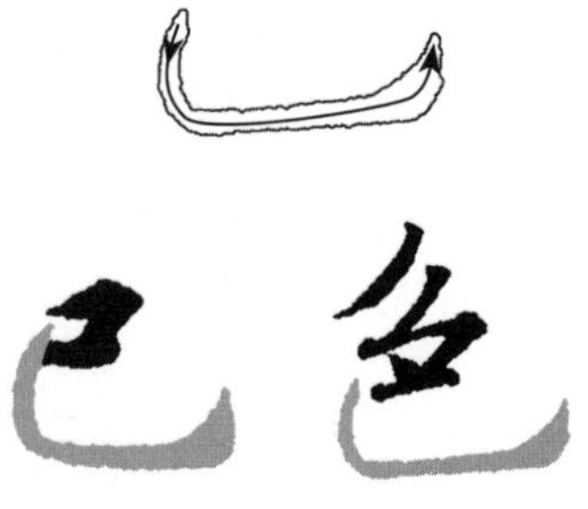

23. 竖弯钩

露锋起笔，先由上向下取弧状以中锋运笔，随即迅速转向，由左向右作横画运笔，出钩时先加重笔力，随即转向由下向上以出锋收笔。

24. 横折斜钩

露锋起笔，先由左向右以中锋运笔，转向时先提锋向右上作短暂运笔，随即迅速向右下稍按，再转向由上向下作弧状以中锋运笔，出钩时先向左上作短暂回锋，随即转向，向右上以出锋收笔。

二 二	三 三	十 十	上 上
王 王	正 正	生 生	五 五
下 下	千 千	中 中	平 平
壬 壬	年 年	辛 辛	坐 坐
止 止	卒 卒	耳 耳	車 车
甲 甲	里 里	奉 奉	拜 拜

基本笔画：撇、捺

人	八	入	父
少	尸	在	及
又	尺	令	今
太	史	金	香
之	走	足	是
速	赵	丧	灾

六	玉	立	言
并	亦	帝	久
不	失	与	赤
其	贞	共	黄
真	州	受	爱
鲁	黑	默	羽

四	白	百	旦
曲	目	巨	山
出	亡	幽	母
七	切	此	叱
女	委	妇	云
至	矣	玄	累

月（月）	有（有）	方（方）	易（易）
刀（刀）	司（司）	勺（勺）	門（门）
南（南）	肉（肉）	兩（两）	而（而）
衣（衣）	食（食）	長（长）	水（水）
手（手）	東（东）	身（身）	泉（泉）
子（子）	李（李）	學（学）	家（家）

基本笔画：钩

我 我	戒 戒	成 成	或 或
歲 岁	感 感	戲 戏	光 光
已 已	色 色	尤 尤	兒 儿
見 见	九 九	兆 兆	死 死
也 也	乙 乙	風 风	鳳 凤
氣 气	飛 飞	必 必	乃 乃

法 法	汙 污	清 清	湏 须
潔 洁	澡 澡	濁 浊	淫 淫
漢 汉	沒 没	淹 淹	漁 渔
渾 浑	河 河	洩 泄	津 津
源 源	流 流	假 假	保 保
信 信	仙 仙	佛 佛	修 修

偏旁部首：亻、彳、阝、土

化 化	偉 伟	伯 伯	傳 传
付 付	代 代	行 行	得 得
德 德	後 后	復 复	除 除
降 降	隨 随	陽 阳	陵 陵
陸 陆	隱 隐	限 限	郭 郭
壇 坛	填 填	城 城	堉 堉

授
校
誓
按
栖
投
损
捷
经
纲
丝
缯
积
和
科
秒
私
诚
诸
该
诣
神
祖
视

好	婦	林	杜
好	妇	林	杜
燒	煙	狂	獲
烧	烟	狂	获
贍	貺	時	映
赡	贶	时	映
服	明	期	別
服	明	期	别
刺	劉	利	列
刺	刘	利	列
割	散	數	致
割	散	数	致

偏旁部首：亠、⺌、宀、艹、⺮

高 高	毫 毫	常 常	當 当
守 守	空 空	宫 宫	室 室
官 官	寂 寂	宋 宋	宣 宣
寢 寝	察 察	寒 寒	騫 骞
蒙 蒙	著 著	萬 万	藥 药
華 华	范 范	等 等	符 符

偏旁部首：心、日、辶、广、虍、冂

思 思	忽 忽	忌 忌	書 书
昔 昔	皆 皆	違 违	遵 遵
近 近	道 道	遺 遗	遊 游
過 过	連 连	通 通	遠 远
塵 尘	廚 厨	虞 虞	處 处
虛 虚	内 内	用 用	周 周

欲	歆	疑	凝
魂	魏	于	性
床	将	以	形
豁	逾	勤	精
破	能	端	师
对	解	施	既

獸 兽	競 竞	韓 韩	鐶 环
瓊 琼	所 所	禁 禁	輩 辈
岳 岳	嵩 嵩	極 极	啓 启
盟 盟	靈 灵	發 发	臺 台
齋 斋	變 变	雙 双	駕 驾
鳥 鸟	因 因	心 心	日 日

行此道忌淹汙經死喪之家不得與人同牀
寢衣服不假人禁食五辛及一切肉又對近
婦人尤禁之甚令人神喪魂亡生邪失性災
及三世死爲下鬼常當燒香於寢牀之首也
上清瓊宫玉符乃是太極上宫四真人所受
於太上之道當須精誠潔心澡除五累遺穢
汙之塵濁杜淫欲之失正目存六精凝思玉

真香煙散室孫身幽房積毫累著和魂保中
彷彿五神遊生三宮豁空競於常輩守寂默
以感通者六甲之神不踰年而降已也子能
精修此道必破券登仙矣信而奉者為靈人
不信者將身沒九泉矣
上清六甲虛映之道當得至精至真之人乃
得行之行之既速致通降而靈氣易發久勤

修之坐在立止長生久視變化萬端行廚卒
致也
九疑真人韓偉遠昔受此方於中岳宗德玄
德玄者周宣王時人服此靈飛六甲得道能
一日行三千里數變形為鳥獸得真靈之道
今在嵩高偉遠久隨之乃得受法行之道成
今處九疑山其女子有郭勺藥趙愛兒王魯

連等並受此法而得道者復數十人或遊玄
州或處東華方諸臺今見在也南岳魏夫人
言此云郭勺藥者漢度遼將軍陽平郭騫女
也少好道精誠真人因授其六甲趙愛兒者
幽州刺史劉虞別駕漁陽趙該姉也好道得
尸解後又受此符王魯連者魏明帝城門校
尉范陵王伯綱女也亦學道一旦忽委壻李

子期入陸渾山中真人又授此法子期者司州魏人清河王傳者也其常言此婦狂走云一旦失所在

上清六甲靈飛隱道服此真符遊行八方行此真書當得其人按四極明科傳上清內書者皆列盟奉贄啓誓乃宣之七百年得付六人過年限足不得復出洩也其受符皆對齋

七日齎有經之師上金六兩白素六十尺金
鐶六雙青絲六兩五色繒各廿二尺以代翦
髮歃血登壇之誓以盟奉行靈符玉名不洩
之信矣違盟負信三祖父母獲風刀之考謫
積夜之河擔蒙山巨石塡之水津有經之師
受齎當施散於山林之寒栖或投東流之清
源不得私用割損以贍己利不遵科法三官
考察死爲下鬼

青
拜
黄
固
素
翼
北
章
向
丁
同
赤
耳
毕
墨
西
目
共
止
车
黑
曲
盖
垂

基本笔画：撇、捺

合	金	命	天
分	秀	众	永
左	右	看	兵
丹	贞	月	房
乘	以	荣	齿
勿	君	角	起

号 旬 玄 手
梁 里 丙 景
凤 乙 兆 光
戏 岁 我 戒
嵎 躯 虑 虎
豹 执 龙 地

化　何　休　俳
化　何　休　俳

徊　侍　傾　使
徊　侍　倾　使

伏　傷　俱　便
伏　伤　俱　便

微　衛　御　徹
微　卫　御　彻

從　浴　洛　洞
从　浴　洛　洞

法　洋　浩　流
法　洋　浩　流

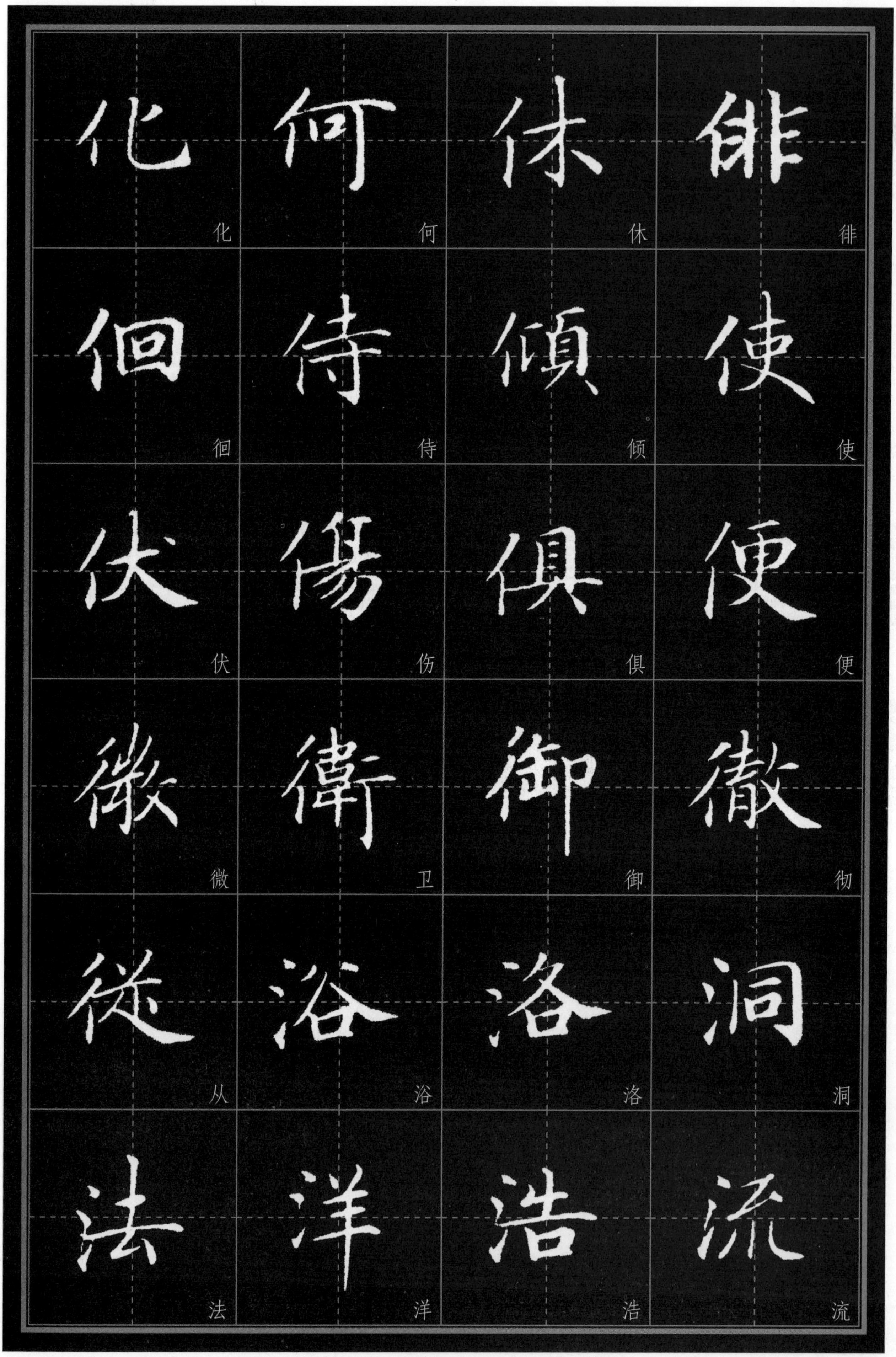

偏旁部首：氵、扌、口、女

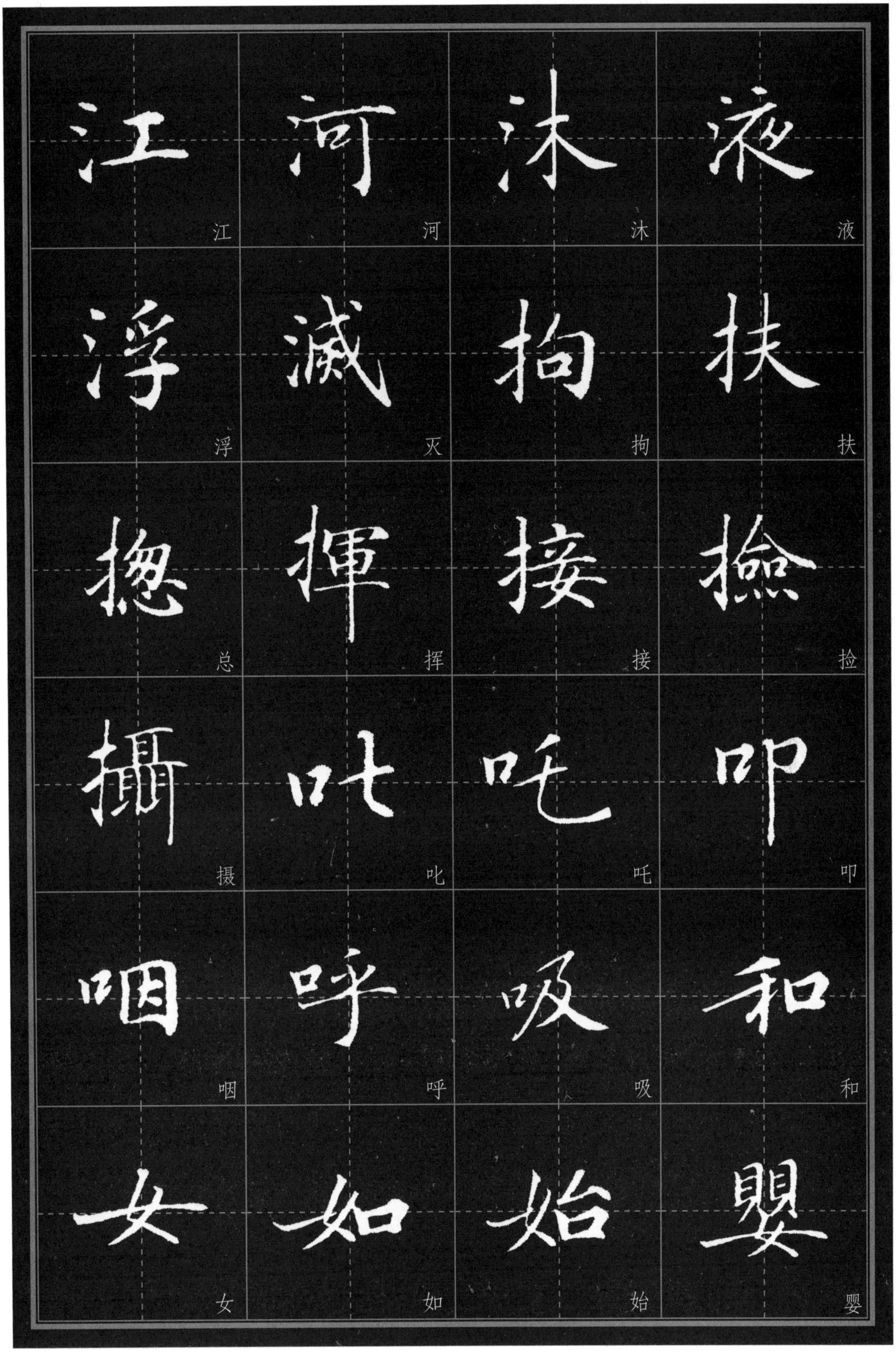

江 河 沐 液
浮 灭 拘 扶
总 挥 接 捡
摄 吃 吒 叩
咽 呼 吸 和
女 如 始 婴

緋 绯	絳 绛	紀 纪	紙 纸
絡 络	統 统	祝 祝	神 神
祅 妖	補 补	視 视	初 初
錦 锦	鏡 镜	鎮 镇	鈴 铃
鍊 炼	理 理	琳 琳	諱 讳
謂 谓	林 林	植 植	枚 枚

劫 却 阴 邪
顺 顿 头 愿
制 刻 则 彩
形 羽 翩 宫
室 字 寅 空
容 宁 堂 裳

部首部首：日、心、灬、辶、广、厂、门

昇 升	晏 晏	意 意	恣 恣
念 念	悉 悉	惡 恶	無 无
炁 气	迴 回	通 通	過 过
逍 逍	遙 遥	達 达	度 度
庚 庚	庭 庭	廬 庐	廚 厨
厥 厥	閉 闭	開 开	關 关

聪 焕 醴 軿
帔 收 归 猛
骋 髫 膝 晖
极 带 余 积
裙 浆 腰 云
绺 鸾 鉴 罗

瓊宮五帝內思上法
常以正月二月甲乙之日平旦沐浴齋戒入
室東向叩齒九通平坐思東方東極玉真青
帝君諱雲拘字上伯衣服如法乘青雲飛輿
從青要玉女十二人下降齋室之內手執通
靈青精玉符授與兆身兆便服符一枚微祝
曰

青上帝君厥諱雲拘錦帔青帬遊迴虛無上
晏常陽洛景九嵎下降我室授我玉符通靈
致真五帝齊軀三靈翼景太玄扶輿乘龍駕
雲何慮何憂逍遙太極與天同休畢咽炁九
咽止
四月五月丙丁之日平旦入室南向叩齒九
通平坐思南方南極玉真赤帝君諱丹容字

洞玄衣服如法乘赤雲飛輿從絳宮玉女十
二人下降齋室之內手執通靈赤精玉符授
與兆身兆便服符一枚微祝曰
赤帝玉真厥諱丹容丹錦緋羅法服洋洋出
清入玄晏景常陽迴降我廬授我丹章通靈
致真變化萬方玉女翼真五帝齋雙駕乘朱
鳳遊戲太空永保五靈日月齋光畢咽炁八

過止

七月八月庚辛之日平旦入室西向叩齒九

通平坐思西方西極玉真白帝君諱浩庭字

素羅衣服如法乘素雲飛輿從太素玉女十

二人下降齋室之内手執通靈白精玉符授

與兆身兆便服符一枚微祝曰

白帝玉真號曰浩庭素羅飛帬羽蓋鬱青晏

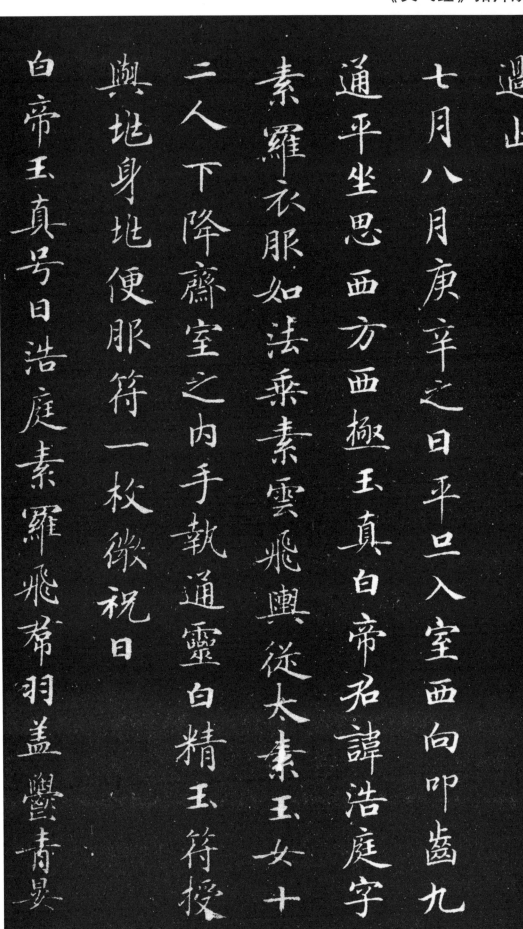

景常陽迴駕上清流真曲降下鑒我形授我
玉符為我致靈玉女扶輿五帝降軿飛雲羽
翠昇入華庭三光同暉八景長幷畢咽炁六
過止
十月十一月壬癸之日平旦入室北向叩齒
九通平坐思北方北極玉真黑帝君諱玄子
字上歸衣服如法乘玄雲飛輿從太玄玉女

十二人下降齋室之内手執通靈黑精玉符
授與兆身兆便服符一枚微祝曰
北帝黑真号曰玄子錦帔羅帬百和交起緋
佪上清瓊宮之裏迴真下降華光煥彩授我
靈符百關通理玉女侍衛年同劫紀五帝齊
景永保不死畢咽炁五過止
三月六月九月十二月戊己之日平旦入室

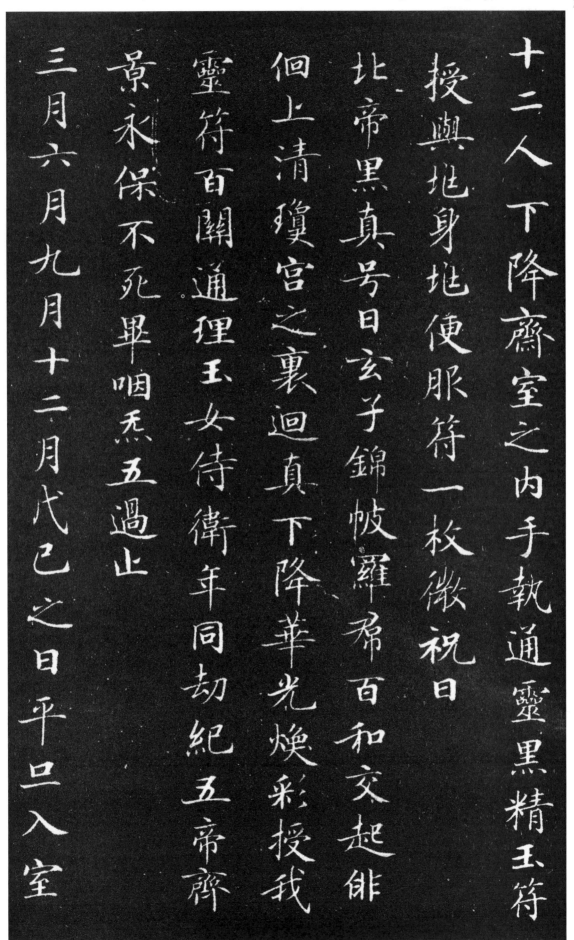

向太歲卯齒九通平坐思中央中極玉真黄
帝君諱文梁字摠帰衣服如法乗黄雲飛輿
從黄素玉女十二人下降齋室之内手執通
靈黄精玉符授與兆身兆便服符一枚微祝曰
黄帝玉真摠御四方周流無極号曰文
梁五彩交煥錦帔羅裳上遊玉清徘徊常陽
九曲華關流看瓊堂乗雲騁轡下降我房授

有奖问卷

亲爱的读者，非常感谢您购买“墨点字帖”系列图书。为了提供更加优质的图书，我们希望更多地了解您的真实想法与书写水平，在此设计这份调查表，希望您能认真完成并连同您的作品一起回寄给我们。

前 100 名回复的读者，将有机会得到书法老师的点评，并在“墨点网站”上展示或获得温馨礼物一份。希望您能积极参与，早日练得一手好字！

1. 您会选择下列哪种类型的图书？（请排名）________________

   A. 原碑帖　B. 书法教程　C. 书法鉴赏知识　D. 书法作品　E. 书法字典

2. 在选择传统书法时，您更倾向于哪种书体？请列举具体名称。

   ____

3. 您希望购买的图书中有哪些内容？（可多选）

   A. 技法讲解　B. 章法讲解　C. 作品展示　D. 创作常识　E. 诗词鉴赏　F. 其他

4. 您选择图书时，更注重哪些方面的内容？（可多选）

   A. 实用性　B. 欣赏性　C. 实用和欣赏相结合　D. 出版社或作者的知名度　E. 其他

5. 您喜欢下列哪种练习方式？（可多选）

   A. 书中带透明纸　B. 放大临习本　C. 填廓描红　D. 多种练习方式相结合　E. 其他

6. 您购买此书的原因有哪些？（可多选）

   A. 装帧设计好　B. 内容编写好　C. 选字漂亮　D. 印刷清晰　E. 价格适中　F. 其他

7. 您每年大概投入多少金额来购买书法类图书？每年大概会购买几本？

   ____

8. 请评价一下此书的优缺点：

   ____

姓名：　　**E-mail：**

性别：　　**电　话：**

年龄：　　**地　址：**

回执地址：武汉市洪山区雄楚大街 268 号省出版文化城 C 座 603 室

收 信 人：墨点字帖毛笔编辑室　　邮编：430070

天猫商城：http://whxxts.tmall.com

我的作品